COLIN YN Y BỲS SDOP

Colin yn y bỳs sdop

Aled Jones Williams

Carreg
Gwalch

Argraffiad cyntaf: 2025
ⓗ testun: Aled Jones Williams 2025

Cedwir pob hawl.
Ni chaniateir atgynhyrchu unrhyw ran o'r cyhoeddiad hwn,
na'i gadw mewn cyfundrefn adferadwy, na'i drosglwyddo
mewn unrhyw ddull na thrwy unrhyw gyfrwng, electronig, electrostatig,
tâp magnetig, mecanyddol, ffotogopïo, recordio, nac fel arall,
heb ganiatâd ymlaen llaw gan y cyhoeddwyr, Gwasg Carreg Gwalch,
12 Iard yr Orsaf, Llanrwst, Dyffryn Conwy, Cymru LL26 0EH.

ISBN clawr meddal: 978-1-84527-986-8

ISBN elyfr: 978-1-84524-634-1

Cyhoeddwyd gyda chymorth Cyngor Llyfrau Cymru

Cynllun y clawr: Eleri Owen

Cyhoeddwyd gan Wasg Carreg Gwalch,
12 Iard yr Orsaf, Llanrwst, Dyffryn Conwy, Cymru LL26 0EH.
Ffôn: 01492 642031
e-bost: llyfrau@carreg-gwalch.cymru
lle ar y we: www.carreg-gwalch.cymru

Argraffwyd a chyhoeddwyd yng Nghymru

Gair Bach

Dyma fentro cyflwyno cyfrol arall o Storïau Byrion Iawn. Nid cweit i gwblhau trioleg, efallai, ond triawd, mae'n debyg: *Tynnu, Raffl a Storïau Eraill* a hon, *Colin yn y Bỳs Sdop*. Y cwbl wedi eu cyhoeddi gan Wasg Carreg Gwalch. Gwasg y mae fy nyled a fy niolchgarwch iddi yn enfawr.

Am y tro,
Aled

Cwrs Gloywi

'Cwrs gloywi' ydy *refresher course* yn Gymraeg?

Boed fel y bo, bu Colin ar gwrs gloywi (neu *refresher course*).

Teimlid gan Y Fiwrocratiaeth ei fod braidd yn sdêl. Teimlid ei fod wedi mynd yn rhy bersonol ar brydiau. Nid oedd yn awyddus i gymryd rhan mewn damwain car os oedd plant yn y cerbydau. Teimlid ei fod yn oedi am hydion tu allan i ambell dŷ er mwyn rhoi mwy o amser. Ac weithiau, yn troi am yn ôl oherwydd ei fod wedi anghofio rwbath. Anghofio beth, yn hollol?

Teimlid, ac i siarad yn blaen, fod Colin mewn perygl o droi'n aneffeithiol.

Cynigiwyd seicdreiddiad iddo, neu y peth llai hwnnw, cwnsela.

Gwrthododd.

Ond ni dderbyniwyd 'na' yn ateb i'r cwrs gloywi (neu *refresher course*).

Mewn bỳs sdop gwahanol yn aros bỳs am ei fỳs sdop o ei hun yr oedd Colin ar ôl cwblhau y diwrnod cyntaf o ddeuddydd.

Ei waith cartref oedd ynganu'r mantra: 'Nid oes gennyf deimladau'.

Streic

Wrth basio'r fynwent yn y bỳs y penderfynodd Colin fynd ar streic. Rwbath cryfach, teimlodd, na'r sìc nôt aneffeithiol blaenorol.

Yr oedd wedi pasio'r fynwent 'geiniau o weithiau o'r blaen. Ond y troeon hynny nid Colin oedd o. Dienw ydoedd. Ac nid oedd ganddo ar yr adegau blaenorol deimladau.

(Nid oedd y cwrs gloywi wedi gwneud fawr iddo. Yr oedd wedi cymryd arno. Cafodd dystysgrif a seren aur. Cymeradwyaeth. Ac ysgwyd llaw.)

Nid oedd o'r blaen wedi sylweddoli pa mor hyll oedd y fynwent. Wrth edrych arni teimlai fel dentysd yn edrych i geg agored llawn dannedd igam-ogam yn duo. Yn sydyn, amgyffredodd o le pell iawn, lle'r oedd geiriau'n hofran ac yn bod mewn rhyw dawelwch, mai o'r gair *monument* y deuai'r gair Cymraeg 'mynwent'. Yr oedd hynny ynddo'i hun yn ddigon iddo benderfynu perthyn i Blaid Cymru.

Ond y streic.

Yma yn y bỳs sdop mae Colin ar streic.

Mae bỳs ar ôl bỳs yn mynd heibio. Ac yntau ni syfl o'i le.

Gŵyr fod llywodraethau mewn gwewyr oherwydd costau anghyraeddadwy anfarwoldeb. Mae penaethiaid crefydd o'u coeau oherwydd ei fod wedi dinistrio drwy ei streic hurt bost *raison d'etre* pob crefydd. Ac er mawr syndod iddo nid yw'r dyn a'r ddynes gyffredin mor hapus â hynny ychwaith. Clyw hwy'n cwyno: 'Dwi mor bôrd.'

Mae rhyw awydd dychrynllyd ynddo am frechdan ham.

Nid oedd o'r blaen wedi medru gwneud cymariaethau.

Cofiodd ddentysd un tro yn mynd i ffordd yr holl ddaear ar ganol ffiling.

Y Frechdan Ham

Yn y bỳs sdop teimlai Colin yn sâl. Nid oedd wedi sylweddoli nad oedd i fod i fwyta'r clingffilm am y frechdan ham.

Ond yn waeth na helbul yr ham, nid oedd angen Colin mwyach. Yr oedd Y Fiwrocratiaeth wedi canfod – yn wir, yr oedd ganddi erioed – ffurfiau eraill o Hei-Ho Ffarwél. Drwy economeg yn bennaf medrid creu llymder; wrth gynyddu elw i ychydig bychain medrid creu llygredd difaol yn y gwledydd tlawd. A thrwy ddod â gorwelion – dyna air da! – gwleidyddol yn nes ac i'r byrdymor, medrid creu anghofrwydd fod y byd yn crasu.

Pwy oedd angen rhyw Golin a'i streic? Teimlai mor hen ffasiwn â'i bladur cynt.

O'i wirfodd llipa nid oedd ganddo ddewis ond dychwelyd. Anfonodd Y Fiwrocratiaeth fand pres i'w groesawu yn ôl.

Ond... gwyddai bellach y medrai – nid bob tro, ond ambell dro – fod yn drugarog. Ni allai'r Fiwrocratiaeth ei amddifadu o hynny.

A dyma fỳs yn dod. Y dybl decyr. Ar ei amser am unwaith.

Byddai'r Chwaer Colin – fel y'i gelwid yn giamllyd bellach yn y swyddfeydd – yn ei dal.

A rhosod yn ei law.

Euogrwydd

Uchelgais Cornell Pari oedd bod yn sant.

Nid chwarëydd ffwtbol a'r dorf yn mynd yn boncyrs bob tro yr oedd ei droed (y dde a'r chwith) a'r bêl yn canfod undod.

Neu fardd yn codi ar bnawn Gwener yn y pafiliwn – ni byddai balchach godi ar bnawn Llun i dderbyn ryw goron hyll; roedd wedi meddwl am y peth.

Neu'n deud y tywydd ar S4C – cymylog, ysbeidiau o haul. Y lle poethaf heddiw oedd Dylife.

Naci wir, ei ddeisyfiad ef oedd clywed murmur diffuant: 'Sant Cornell Pari, gweddïa drosom.'

Ond tair a'r ddeg oedd Cornell.

Yma yn y bỳs sdop yn llaw ei fam, ei ffrog (wedi ei chwteuo'n arw o hen ffrog Laura Ashley o lencyndod ei fam, a hithau'n brif gantores y grŵp Llygad y Dydd bryd hynny: hi oedd efo'r tamborîn, os cofiwch) braidd yn rhy dynn amdano – nid oedd wedi gofalu digon am ei bwysau oherwydd petha tenau fel styllod yw seintiau. Fe'i brawychwyd gynnau am na fedrai deimlo ei asennau.

Penderfynodd dynnu ei gardigan binc a'i botymau myddyr of pyrl. 'Gwisga hi'n ôl,' arthiodd ei fam. 'Mi fyddi'n edrach yn od yn ei chario hi.'

Ond cario'r Groes oedd ei ddymuniad ef. Yr oedd yn gwneud hynny eisoes yn ei ddychymyg.

Yn ei law rydd yr oedd yr hoelen rydlyd yr oedd yn ei gwasgu'n ddyddiol ddyfnach i'r cledr. Gobeithiai'n fuan gael sepsis.

Ond yr oedd ei gydwybod yn ei boenydio.

Dywedodd gelwydd yn y siop sgidiau wythnos i heddiw fod y sgidiau yr oedd yn eu gwisgo erbyn hyn yn ffitio'n iawn, er amheuaeth y siopwraig, a bod y sgidiau yr oedd hi, y siopwraig, yn grediniol oedd y seis cywir lawer rhy fawr. Teimlodd brydferthwch y sgidiau newydd – piws eu lliw, efo blew *chinchilla* o'u hamgylch – yn gwasgu'n hyfryd, ac oherwydd nad oedd yn fwriadol wedi torri ei ewinedd traed gwyddai fod ei fodiau'n gwaedu.

Ond eto yr oedd wedi dweud celwydd. Ni all rhinwedd gychwyn efo celwydd gwyddai. A'i gydwybod yn goelcerth yn ei ymennydd. Ni allai ddal hyn mwyach. Yr oedd ei sancteiddrwydd yn deilchion hyd y bỳs sdop. Gwyddai'n iawn beth i'w wneud.

Gollyngodd law ei fam. Yr oedd wedi gweld y bỳs yn dod.

Ar sbid.

Kant

Ar y fainc haearn ymhen draw y bỳs sdop eisteddai Colin yn darllen detholiadau o waith Kant.

(Yr oedd awydd i wybod mwy am betha wedi cydio ynddo. Efallai ers iddo ddarganfod ei enw? Nid oedd Y Fiwrocratiaeth yn awyddus i feithrin yr agwedd newydd hon. Eisoes yr oeddynt wedi cipio ei Schopenhauer oddi arno. 'Hei! *Ignorans is piss,*' meddent wrtho.)

Felly yn y bỳs sdop yn unig y medrai ddarllen yn ddirwystr. Neu o leiaf dyna a feddyliai.

Yn y pen draw yr oedd dau ddyn – Bertie Maggs a Toni Roial Welch – yn eu du galar. Gwyddai Colin mai mynd i angladd 'Saigon' Morris yr oeddynt ill dau.

Ers dychwelyd ar ôl y streic yr oedd dyletswyddau Colin wedi eu cyfyngu i unigolion. Nid pob unigolyn ychwaith; yr oedd Y Fiwrocratiaeth wedi cadw iddi ei hun Hei-Ho Ffarwél unigolion penodol MAWR. Ac yntau yn ei breim, cofiai Colin o hyd, os oedd o'n onest, wefr y pnawn Gwener hwnnw am 12:30 yn Dallas. Ond bellach yr oedd y dyddiau hudol hynny ar ben, ac ymhlith unigolion bregus fel 'Saigon' Morris a hunanleiddiaid eraill nad oedd angen arnynt ond hwth ysgafn, yr oedd Colin erbyn hyn yn loetran.

A'r loetran yn effeithio arno, er na allai ddiffinio'n iawn yr 'effeithio' – gair a ddaeth iddo pan glywodd sawl un yn defnyddio'r ymadrodd 'mae hyn wedi effeithio arnat ti'.

Dyna pam yr oedd o'n darllen Kant, mae'n debyg. A Platon cyn hynny. Schopenhauer, fel y crybwyllwyd. Ac Enid Blyton. Er rhyw lun ar fedru'r geiriau ('Dwi'n medru nhw *see-saw,*' fel y dywedai wrtho ei hun) nid oedd plethiad y geiriau wrth ei gilydd yn treiddio i mewn iddo. Nid oedd, er enghraifft, wedi medru gwneud y cysylltiad angenrheidiol rhwng y *noumenon* a'r

Ffeimys Ffaif, heb sôn am y Sicret Sefn. Fel yn union bythefnos yn ôl ar y comin pan gododd 'Saigon' Morris y gwn i'w geg ac atsain y bang yn gryndod drwy Colin.

Ymlaen yr aeth Colin air ar ôl gair drwy Kant.

'Mae o'n bownd o fod yn fama'n rwla,' meddai wrtho ei hun.

Pob gair sengl yn eitha clir, ond efo'i gilydd yn gowdal annealladwy.

Ronnie (48)

Yr oedd Y Fiwrocratiaeth yn ddiweddar wedi ailwampio ei hun. Mae ailwampio yn hanfod Y Fiwrocratiaeth. Newid enwau, er enghraifft, sy'n swnio'n wahanol ond yn golygu'r un peth. Tro 'ma creu cyfres o adrannau oedd crynswth yr ailwampio. Ac is-adrannau ac is-is-adrannau ac is-is-is-adrannau ac is-is-is-is-is-is-is-adrannau.

Yr un yr oedd Colin yn perthyn iddi bellach (wedi ei ddiraddio, tybed?) oedd yr un o dan honno oedd yn is fyth. Yr un oedd yn gyfrifol am Hei-Ho Ffarwél sydyn.

Yn y bỳs sdop edrychodd ar ei restr ar gyfer y bore:

Ronnie (48)
Ceidiog (86)
Pat (36)
Tara (31)
Goronwy (79)
Myfi (53)
Eiddon (17)
CWBL LOT CYN HANNAR DYDD. TYSTIOLAETH
FFOTOGRAFFIG YN ANGENRHEIDIOL AR GYFER YR
OFFIS ERBYN 2.

... mewn llythrennau breision o dan yr enwau.

Efallai mai gweld Ronnie yn rhoi paned o de i'w wraig, Syd, yr oedd o, wedi ei chodi ar ei heistedd yn ei gwely – Ronnie yn dal ei phen ag un llaw, a'r llaw arall yn gwyro pig y bicyr plastig i'w cheg, ei sŵn yn llyncu, a Colin ar godi ei law yn ôl ei arfer i gyfeiriad Ronnie ar gyfer yr Hei-Ho Ffarwél. Ond cydiodd rwbath ynddo a rhedodd o'r tŷ.

Daeth yn ei ôl i le saff y bỳs sdop yn fyr iawn ei wynt.

Meddyliodd ei fod yn teimlo'n sâl. Ond gwyddai yn anffodus – anffodus? – mai rwbath ar gyfer pobl oedd hynny nid ef, yn anffodus – anffodus drachefn? Ailddarllenodd ei restr enwau. Gwyddai ei bod ar ben arno, beth bynnag oedd ystyr 'ar ben' yn ei achos ef.

Mae'n debyg fod y car du eisoes ar y lôn i'w gyrchu am Y Sgwrs efo'r Fiwrocratiaeth.

Ond diaist i, dyma'r dybl decyr yn dŵad. 'Hei-Ho Ffarwél,' meddai Colin wrth neb, a dengid i glydwch sêt gefn llawr uchaf y bỳs.

Gwelodd drwy'r ffenasd gefn y car du yn dyfod yn araf dros ael yr allt ymhell y tu ôl iddynt. Cododd Colin ddau fys i'w gyfeiriad, gan efelychu arwydd yr oedd rhai pobl wedi ei wneud i'w gyfeiriad ef pan synhwyrent ei fod o'u cwmpas. Nid arwydd o groeso oedd ystum y ddau fys yr oedd Colin wedi ei ddirnad dros ehangder canrifoedd.

Ni allai y tro hwn gael Ronnie, y bicyr plastig, a'r wraig yn llyncu'n swnllyd o'i feddwl.

Ar y bỳs yr oedd Eiddon (17).

Cymerodd Colin arno nad oedd wedi ei weld.

Y Petryal

Yn seintwar y bỳs sdop canfu Colin ei hun drachefn.

Yr oedd wedi bod rownd a rownd ar y dybl decyr am oriau ers digwyddiad Ronnie. Ond gwyddai rŵan fod yn rhaid iddo adael y bỳs oherwydd ei sdop ef oedd y terminws. Ac er fod Colin yn hen gyfarwydd â sawl terminws, nid oedd yn rhy awyddus i gyrraedd y terminws neilltuol hwn y pnawn 'ma oherwydd teimlai ym mêr ei esgyrn mai yno'n ei ddisgwyl y byddai'r car du.

Yr oedd o yn gywir. Gwelodd drwy blastig clir y bỳs sdop y car du yr ochr arall i'r lôn.

A daeth y ddau ddyn allan. Cotiau lledr yr un ffunud â'i gilydd am y ddau, wedi eu clymu'n dynn am eu canol, hetiau duon cantel lydan ar eu pennau, ac wrth gwrs, yr ystrydebol sbectols haul. Popeth yn ystrydebol.

'S'mai!' gwaeddodd yr un y gwyddai Colin mai Hector Dafis oedd ei enw.

Cododd Colin ei fawd arno.

'Am ddŵad am sgwrs fach efo'r Bois?' holodd y llall, Gordon 'Lucy' Tyson wrth ei enw.

Dynesodd y ddau at y bỳs sdop nes eu bod yn y man reit o flaen y plastig clir.

Ar y foment hon gyda rhyddhad gwawriodd ar Colin na allai 'run o'r ddau ddyfod i mewn.

Oherwydd lle cyd-rhwng yw bỳs sdop. Rhwng cyrraedd a mynd. Rhwng gadael ac aros. Muriau solat, eto tryloyw. Y petryal agored sy'n fynedfa ac yn allanfa. Yn wacter sy'n galluogi i'r tu allan droi yn du mewn. Yn drothwy ac yn rhiniog. Lle i aros ynddo a lle i fynd ohono.

Amod ei 'fodolaeth' – o ddefnyddio'r gair yna er hwylustod 'gramadegol' – sylweddolodd Colin, oedd ei fod yn trigo mewn lleoedd cyd-rhwng bob amser efo pobl oedd ar drothwy neu riniog. Nid oedd Colin yn bod ym mhendantrwydd y naill fyd neu'r llall, ond yn yr amwyster rhyngddynt. Nac yma nac acw. Tir neb. A neb. Rhyw ddim yma nad yw'n nunlle ychwaith.

Tra oedd y ddau ddyn, Hector a Gordon 'Lucy', yn dyrnu ar ochr arall y persbecs, cododd Colin ddau fys arnynt.

Amser Oriawr

Dylid dweud rwbath am 'amser' tra mae Colin yn y cwestiwn. Fe'i 'gwelwch' – gair arall handi, er mwyn gyrru'r frawddeg yn ei blaen – yn eistedd yn flêr – sy'n anarferol iddo – ar y fainc haearn yn y bŷs sdop. Mae hi i bawb arall yn saith y bore, dydd Mawrth y pedwerydd o Fehefin, 2024. Mae Colin, wrth reswm, yn ddigon hapus i gyd-fynd â hyn. Ond gŵyr ef yn wahanol, wrth gwrs. Petai creaduriaid yn 'gwybod' – gair handi – yr hyn y mae Colin yn ei 'wybod', ni byddai ei swyddogaeth wyneb yn wyneb â hwy yn cael fawr o effaith arnynt. Ond oherwydd bod yr holl greaduriaid o'i amgylch yn mynnu amser oriawr a'i bod hi, y munud hwn, yn saith y bore, dydd Mawrth y pedwerydd o Fehefin, 2024, mae Hei-Ho Ffarwél Colin yn dorcalon iddynt oll.

A hithau'n saith y bore daeth y car du eto. Lawr â'r ffenasd a wele, wyneb Hector Dafis:

'Ti'n gorweddian yn flêr iawn yn fanna. Dim fel chdi. Ma isio chdi edrach 'n smart. Be'? Ti'n colli intresd eto? Watja di dy hun rŵan ne mi fydd y Bois ar d'ôl di.'

Yn y man a gyda dihidrwydd oedd yn ymylu ar y nawddoglyd sythodd Colin ei hun ac aeth at y car yn ddigymell.

'Ewadd, sbïwch ar mei-lord – dw-as-iwyr-told, 'te washi. Ma nhw'n feri plîsd fo chdi. Ma ti dy lusd.'

A Colin ar fin ei chymryd gollyngodd Hector hi i'r llawr, cau'r ffenasd, ac ymaith yr aeth y car du.

Cododd Colin y rhestr o'r tarmác. Edrychodd gyda haerllugrwydd dirmygus i gyfeiriad y car du yn mynd yn llai wrth fyned yn ei flaen.

Heb fynd yn ôl i'r bŷs sdop ynghanol y lôn, ceir a lorris a fania a bysys a beics a moto-beics yn mynd drosto a thrwyddo, agorodd Colin y rhestr.

'Syr-Preis!' darllenodd. 'A gwobr fach am waith mor drylwyr a glân.' G.E.

A gwelodd yr enwau:

Hector Dafis (43)
Gordon 'Lucy' Tyson (38)

Gwyddai Colin yn union ble i fynd.

Y Tlodion

Y tlodion a'r dim cweit yn llawn llathen sy'n dal bysys.

(Digwydd y newid gwleidyddol mawr pan ddeil y dosbarth canol y bysys gan roi heibio eu 4x4 – batri neu beidio – a dangos drwy hynny eu bod o'r diwedd wedi dirnad enfawredd y newid hinsawdd – yr unig bwnc gwleidyddol bellach o bwys – ac nid dim ond darllen amdano yn *The Guardian*.)

Ac un o'r tlodion y bore hwn yw Primrose Hyacinth Puw.

'Disgwl bỳs dach chi?' holodd fi.

'Ia,' meddwn i, yn teimlo holl bwysau fy niwylliant yn dyfod rhyngom; ac er nad oeddwn yn ymwybodol o wneud, yr oeddwn, serch hynny, yn edrych i lawr arni. Yr oedd fy 'Ia' yn annaturiol o glên.

''Ch car chi sy'n y gareij?'

'Wel, ia,' atebais, yn dweud celwydd oherwydd fod rhoi'r esboniad cywir yn rhy gymhleth.

'Dach chi'm yn edrach fel rhywun sy'n gorfod dal bỳs.'

Gwenais yn hytrach na holi'r cwestiwn: sut mae rhywun sy'n gorfod dal bỳs i fod i edrych?

'Dach chi'n gwbod be' i neud?'

'Wel...' meddwn.

'Rhaid ichi ga'l y pres iawn. Sgin rhein byth newid. Neu banc card. Neu bás. Sgynnoch chi'm pás. Felly be' newch chi? Pres iawn? 'Ta banc card?'

'Cerdyn credyd,' addewais heb feddwl ynghynt am y talu.

'Singyl 'ta rityrn?'

'Singyl.'

'Mynd i nôl 'ch car dach chi, felly.'

Cytunais.

'Ewch chi gynta ar y bỳs pan ddaw o.'

'Ond roeddach chi yma o 'mlaen i.'

'Os gnawn ni hi ffor' yna fydd 'im raid i mi 'ch ca'l chi i ista wrth 'y nochr i. Swn i'm isio neb feddwl fod gin i ffansi man.'

Oedd hi o ddifrif? meddyliais.

Syllodd arnaf. Heb arlliw o'r ddealltwriaeth gymdeithasol honno na ddylai wneud hynny. Ni thynnodd ei llygaid oddi arnaf. Y math o syllu y mae babi yn medru ei wneud er mwyn tynnu sylw dieithriaid a'u cael i'w gydnabod. Ond maddeuir i fabi am ei syllu – heb gywilydd. Gwenais wên gwta arni.

Ynddi yr oedd rhyw foelni.

Byddai ambell un wedi dwaud yn chwyrn 'ar be' dach chi'n syllu?' Ond nid y fi. Rhywsut, yr oedd gennyf ofn troi fy ngolygon oddi wrthi. Rhag iddi ddweud rwbath. A holi mwy. Holi y cwestiynau ymddangosiadol ddiniwed, ddibwys sydd yn gwneud i chi wingo ar ryw hoelen fewnol. Gwell oedd gennyf gwestiynau'r staff rŵm. Er, rhywsut y gwyddwn na ddywedai ddim byd arall oherwydd yr oedd hi rhywfodd wedi tynnu popeth allan ohonof. Arswydais pa mor ychydig oedd ynof. Nid oeddwn, mae'n amlwg, ond patrwm o gonfensiynau wedi eu rhoi wrth ei gilydd i greu 'unigolyn'.

Dyn nad oedd wedi dal bỳs ers Duw a ŵyr pryd.

'Ga i weld 'ch pás chi?' holais. 'Dwi rioed wedi gweld un.'

Un o gwestiynau mawr fy mywyd.

Ogla Pêr Drops

'Wir Dduw i ti,' meddai Eurgain Parkway wrth Déborá McNulty. 'Taenu dillad ar y lein a 'mond 'di pegio singlet Porky mi droth y lein yn neidar a'i brathu hi yn 'i gwddw. Porky gafodd hyd iddi wedi iddo fo godi am hannar dydd yn glewtan gelain ar lawr. 'Di bod yna ers wyth.'

'O! Nachdi ffor' i fynd,' ebe Déborá. 'Gas gin i snêcs. Beth bach. Penny May druan.'

'Fela ath Mam, sdi.'

'Ww, snêc?'

'Naci,' esboniodd Eurgain, 'gweld 'i gwynab mewn colsyn. Ac erbyn bora wedyn o'dd hi 'di mynd.'

'Ogla pêr drops yn ganol nos glwodd Ritchie. Ac mi ath i'r bathrwm. "Ti'n iawn, Ritchie?" medda fi, weld o'n hir. A dyna le o'dd o a' lawr. A goeli di mo hyn, potal o neil farnish rimwfyr yn 'i law o.'

'Yncáni 'de,' ebe Eurgain.

'Twenti tŵ iyrs yn ôl, washi.'

Y munud hwn hoffai Colin petai yn medru troi lein ddillad yn neidr, neu daflunio wynab ar farwydos, neu wafftio arogl pêr drops o gwmpas y lle. Ond nid storïwr ydoedd. Y cwbl oedd ganddo oedd rhestr oddi wrth Y Fiwrocratiaeth ac arni enwau ac oedran:

Eurgain Parkway (62)
Déborá Jane McNulty (61)

Stori Wir

Gadawodd Colin y bỳs sdop ac aeth i ben Tŵr 'Reryr.

Oddi tano yr oedd pobl yn morgruga.

Yn eu plith gwelodd Eiddon (17).

A'r llun yr oedd Colin wedi ei anfon yn fwriadol aneglur sbel yn ôl i'r Offis oedd yr un o Eiddon (78). Nid oedd Colin yn 'deall' ei weithred.

'Trugaredd'?

Ond gair handi yw hwnnw.

Tyrci

Yr oedd ambell i ŵyl yn boddhau Colin.

Nid oedd yn or-hoff o'r Pasg a'i wyau. Ond am y Nadolig, ni ellid gwell.

Hoffai grwydro strydoedd Blaenau Seiont. Yn y cyflychwyr yn fwyaf arbennig yn llawn brwdaniaeth. Lawr Palas Strît. Y goleuadau. Yr anrhegion. Y llyfrau. Y carolau, 'nenwedig 'Y bore hwn, drwy buraf hedd'.

Teimlai – erbyn rŵan, siawns, rydych yn sylweddoli mai gair hwylus yn unig yw 'teimlai' – yn embaras – gair arall handi – pob Nadolig oherwydd y rhestrau o enwau ac oedrannau a ddeuai'n ddyddiol i'w law. Angharad (7) 'radag yma o'r flwyddyn! Ond dudwch hynny wrth Y Fiwrocratiaeth! Felly Hei-Ho Ffarwél.

Yr oedd, serch hynny, wrth ei fodd efo'r ŵyl.

Tan heddiw yn y bỳs sdop a'r ddynes efo'i bag plastig tryloyw. Mrs Malcolm Edwards, wrth ei henw.

Cynnwys y bag tryloyw oedd y peth.

Tyrci.

(Yma fe'n gorfodir i ddefnyddio gair hwylus – 'cyfogi' – nid fod Colin yn mynd i chwydu ei berfedd, pa berfedd? Neu 'deimlo' ei stumog yn troi. 'Run o'r petha hyn, ond rhaid wrth eiriau, ac fe wnaiff 'cyfogi' cystal â'r un i hanner mynegi, dyfod rhywfaint yn nes at beth bynnag oedd yn digwydd i Colin y foment hon yn y bỳs sdop pan welodd y tyrci.)

Yr oedd o ar 'gyfogi'. Rwbath, mae'n debyg, am y croen bron yn wyn yn dyllau pinnau drosto lle bu plu, rhyw hen groen crychlyd arall yn hongian o'i din, y coesau-blaenau-cochion wedi eu croesi a'u clymu efo lasting bands.

Canodd ffôn Mrs Malcolm Edwards. Gwthiodd hithau ei llaw i'r bag ac i bobman hyd y tyrci nes dyfod o hyd i'w ffôn.

'Be' ti isio, Mal?' meddai. 'Wel, diawl oes siŵr ma 'na jiblats.'

A gwthiodd ddau fys i berfedd y tyrci 'mond i neud yn siŵr.

'Ma nhw. Dwi'n 'u teimlo nhw rŵan. Mewn plastig bag. Neis ar gyfar y greifi. Greifi jiblats.'

Ogleuodd ei bysedd a'u llyfu wedyn.

'Teimlodd' Colin eto yr hyn y mae'r gair 'cyfogi' yn ei gyfleu i chi a fi.

Y digwyddiad hwn, mae'n debyg, a fyddai'n 'diffinio' Colin o hyn ymlaen fel llysieuydd.

'Teimlodd' yn llawer gwell yn ddiweddarach yn Twtil yn nhŷ Blodeuwedd ap Tarot (38) fel y galwai ei hun pan welodd y rhost-cnau, a thinsel o'i amgylch. Hithau'n darllen am ei dyfodol yn y cardiau.

Y Puwiaid

O'r diwedd yr oedd Gary Pugh a Donald Puw yn caru.

O'r diwedd.

Er protestiadau Don oherwydd y cansar oedd wedi meddiannu ei brostad a lledu i'w esgyrn. 'Fedra i ddim, be' haru ti. Dos i chwilio am rywun arall. Dala i drostat ti hyd yn oed. Ti'm isio rwbath ffiaidd fel fi.' A hynny mae'n debyg wedi clwyfo Gary'n fwy na dim; yn enwedig y cynnig i dalu. Ac y byddai ef, Gary, *yn* mynd allan a thalu.

Ond gwyddai rwbath arall fel y gwyddai y gwyddai Don hefyd, nad oes yna ffasiwn beth â chansar sy'n medru ymosod ar gariad.

Ac felly o dow i dow gyda'r wythnosau drwy ddandwn a jocian a mela sydyn slei, cipio cusan, fflyrtian gwynab drwy'r ffenasd ben bora wrth adael i fynd i'r gwaith, Don yn ymateb efo 'cer o'ma wir' cefn ei law – y cwbl o'r petha hyn fel cynnwrf tynnu dillad yn araf nes glanio yn wefr – heno yn y gwely, dwylo ei gilydd yn ailddarganfod eto Eden y cnawd.

'Teimlodd' Colin ynddo'i hun 'dynfa' – a dyma air hwylus arall na ŵyr Colin ddim amdano – at yr hyn a welodd gynnau pan aeth i mewn i'r ystafell wely. Nid oedd yr un 'dynfa' wedi ei 'ddenu' at y rhyw arall – 'teimlodd', 'tynfa': yr oedd y petha hyn yn ddieiriau yn Colin, o'r golwg yn llwyr 'fel' – gair handi arall – y mae'r gwanwyn yn ddwfn o'r golwg yn y gaeaf.

Yn y parlwr ffrynt ymhle yr oedd o wedi cilio am dipyn, hanner cant o luniau o Marilyn Monroe y tu ôl iddo, eu hanner mewn lliw, yr hanner arall yn ddu a gwyn, edrychodd Colin eto ar yr enw ar waelod ei restr am heddiw:

Gary Pugh (51)

Bling i Fyny Yma! Bling! Bling! Bling!

Yr oedd Llawen Humphries yn llawn bling.

Y sicwins ar hyd ei ffrog. Y broitj ar ei bron. Modrwyau ei dwylo. Clustdlysau hirion, trwchus. Cribau yn ei gwallt. Mwclis ei hesgidiau. Y dotiau sgleiniog hyd ei chôt.

Nes ei bod yn winciadau o oleuadau wrth gamu o'r bỳs sdop i'r bỳs – fel petai rhyw S.O.S. yn cael ei anfon o bellafion ei chalon yn gofyn am help.

Fy Mhobl

'Fy mhobl,' meddai Colin wrtho'i hun yn edrych drwy giatiau'r fynwent.

A sbïodd y ci arno.

'Wel, dos i'w gweld nhw 'ta,' ebe'r ci wrtho.

Synnodd Colin ei hun ei fod ef yn deall Cyfarth. Ac fe'i synnwyd eto fyth fod y ci yn ei weld, er iddo amau hynny ers canrifoedd, yn enwedig wedi i'r tjiwawa hwnnw biso'n erbyn ei goes ym 1923. Rhyw fis Awst.

'Ar d'ôl di,' meddai'r ci wrtho.

Aeth Colin yn llythrennol drwy'r giât a'r ci – Jac rysl digon tenau – rhwng y bariau.

Yno roeddynt. Y bobl. Fy mhobl. Cant? Dau gant? Mwy? O'r newydd-anedig i ambell Fethusala a'i gymar.

Fel petai rwbath wedi dyfod drosto cyfarchodd Colin hwy:

'Atolwg, lân gyn'lleidfa, rwy'n deall mai rhai o bell ydych...'

A stopiodd yn ddiatreg.

'Cau hi,' ebe'r ci wrtho, 'neu mi dorrith yr hwndrwd. Ŵyr rhein ddim pwy wyt ti.'

'Wyddon nhw ddim pwy ydw i? Pam? Sut na wyddon nhw ddim pwy ydw i?'

'Yn ara,' ebe'r ci, 'un cwestiwn ar y tro.'

Sylwodd Colin ar yr eglwys yng nghanol y fynwent.

'Dyma Eglwys Loegr,' ebr ef.

'Ffyc sêc,' meddai'r ci. 'Rho sip arni. A jysd enjoia bod yma. Mae hi'n de parti heddiw. Deud y gwir 'that ti, ma hi'n de parti i rywun bob dydd.'

Edrychodd Colin ar y cist-feddau. Niferoedd ohonynt ag un ochr wedi syrthio am i mewn, eiddew a drain yn crafangu hyd-ddynt a drostynt. Ond yr hyn a aeth a'i fryd oedd y llieiniau byrddau oedd wedi eu taenu drostynt.

Doman Dail

Hyd y dydd heddiw fe'i hadwaenid fel 'Cornwallis, Penri'.

Hynny oedd wedi glynu ym meddyliau'r plant yn y dosbarth flynyddoedd lawer yn ôl a'r athro'n galw'r enwau o'r cofrestr ben bore yn nhrefn yr wyddor, ei gyfenw ef y cyntaf un: Cornwallis, Penri.

A'r plant hynny bellach yn oedolion yr ochr bellaf i'r canol oed, parhaent i ddefnyddio'r trefniant yna ar ei enw bob tro y gwelent ef: Cornwallis, Penri.

Yr oedd Y Fiwrocratiaeth, mae'n amlwg, wedi cael gafael ar hynny, ac fel yna y darllenodd Colin ei enw yn y bỳs sdop ar y rhestr newydd yn ei law: Cornwallis, Penri (59).

Ar lan y llyn yr oedd pump ohonynt: Quayle Tarn, Marigold Proctor, Malcs Beaver, Penny Huws a Cornwallis, Penri.

Pump a fu ar un adeg yn yr ystafell *chemo* yn derbyn triniaeth gyda'i gilydd, ac a benderfynodd y byddent yn cyfarfod yn fisol ar y cychwyn, ond bellach yn wythnosol, oherwydd mor dda oedd rhannu profiadau a chynnal ei gilydd. Erbyn hyn, ychydig iawn o amser a dreuliwyd yn sôn am gansar.

Heddiw'r bore rhyfeddol yma o braf ar ôl picnic roeddynt i gyd yn sefyll ar y jeti ar ymyl y llyn pan, yn gwbl ddirybudd, neidiodd Cornwallis, Penri yn ei ddillad i mewn i'r llyn, a'r sblash yn peri fod y pedwar arall yn doman dail.

''Di bod isio gneud hynna rioed,' meddai Cornwallis, Penri wrth dynnu ei hun o'r dŵr yn ôl i'r jeti. Y lleill, erbyn rŵan ac wedi'r sioc, yn deall i'r dim ac yn glanna chwerthin.

Nid oedd Colin o'r tu ôl iddynt wedi llawn werthfawrogi – os o gwbl – resymeg y math yma o beth.

Ond yn fwy na dim yr oedd o'n siomedig o sych.

'Run defnyn wedi ei gyffwrdd.

Ai hynny efallai oedd yn gyfrifol am ffyrnigrwydd Hei-Ho Ffarwél Colin y tro hwn?

IVF

Nid oedd 'edrych ymlaen' yn rhan o eirfa Colin.

Roedd rhai pobl, mwya gwirion nhw, yn byw i'w swyddi. Ond heddiw yn y bỳs sdop yn darllen y rhestr, petai 'edrych ymlaen' yn rhan o'i eirfa, ni byddai Colin y bore plygeiniol hwn yn 'edrych ymlaen' o gwbl.

Yma roedd yn nrws y ward.

Gwelodd Melangell Pari, y nyrs, yn trin briwiau Mossey Bickerton.

Gwyddai Colin erbyn hyn, a hynny drwy ryw fath o amsugno oesol y petha o'i gwmpas, beth oedd 'tynerwch'.

Hynny a welodd y munud hwn.

'IVF,' meddai Melangell wrth yr hen garpan, Miss Bickerton, oedd wedi ei holi mor annwyl; y math o holi sydd bob amser yn medru ildio cyffes. 'O'r diwadd! Dechra matyrniti fory.'

Edrychodd Colin ar ei restr.

Dienw. Heb ei geni, gwelodd.

Ble Mae Colin?

Yr oedd y posteri 'Ble Mae Colin?' ym mhobman. A niferoedd yn gwisgo'r sticeri efo silowét o ben dynol â'r geiriau 'Hei-Ho Ffarwél' rownd yr ymyl. Ni ellid mynd i nunlle, boed Pepco, siop sgidiau, siop lyfrau, siop dda-da, siop tjips, siop-bob-dim-ambunt heb i rywun yno ofyn 'Dach chi am sdicyr?'. A thu allan i'r siopau ar relings, ar byst golau stryd, mewn bỳs sdops, gorsafoedd trenau, yr oedd y posteri anferth a thwr o bobl yn craffu ar y cannoedd o boblach bach, clòs at ei gilydd, amryliw a gynhwysai'r posteri, i gyd yn chwilio yn eu plith am Colin. Clywyd sawl 'Dyna fo!' a bys rhywun yn dobio un o'r boblach bach ar y postyr i'w ddangos. A rhywun arall yn syth ar ei chwt yn haeru 'Be' haru ti, nid hwnna ydy o'. Sawl un yn mynnu mai benyw oedd Colin. Eraill yn wfftio at y rhaniadau benyw/gwryw. Trefnwyd cyrsiau rhad ac am ddim er mwyn dysgu sut i adnabod Colin, ac arbenigwyr yn eu gwahanol feysydd yn arwain. 'Do'n i fawr callach' oedd ymateb sawl mynychydd. Eraill yn mynd yn syth o'r cwrs efo'u sicrwydd newydd a diwyro at bostyr, codi bys a tharo un o'r boblach bach ac yn ddi-feth yn ei gael yn anghywir.

Y Fiwrocratiaeth mewn cydweithrediad â'r Senedd, C.C.C., a Llenyddiaeth Cymru oedd yn ariannu'r ymgyrch posteri.

Mewn un tref – y Fflint, mi gredir – o flaen postyr daeth ci gan gyfarth, dywedwyd, am dros hanner awr, yn amlwg wedi adnabod Colin.

Ni esboniwyd erioed beth oedd diben yr ymgyrch, ond fe brofodd yn hynod o boblogaidd – rhyw fersiwn cyfoes o Bara a Syrcas y Rhufeiniaid gynt, tybed? Yn wir, mor boblogaidd ydoedd fel y trodd yn obsesiwn ymysg rhai a dreuliai'r nos hyd yr oriau mân gyda fflachlampau yn ddygn graffu ymysg y myrddiwn dynionach ar y posteri. Cyfrifwyd hyn gan ambell un fel salwch.

Ond am Colin ei hun yn y bỳs sdop, ni faliai ef edrych ar yr un postyr. Wedi'r cyfan, ni wyddai ef sut yr edrychai. Ac mai cyd-ddigwyddiad anffodus iawn oedd cymysgu ei enw ef efo rhyw Colin oedd yn boen yn din ar gymaint o bosteri ledled y wlad.

Ymestynnodd distawrwydd llethol drwy'r Pafiliwn ac ar hyd y Maes, drwy Gymru gyfan – wel, 19% o'r wlad efallai – pan gyhoeddwyd gan un o'r tri beirniaid mai 'Colin' oedd bardd cadeiriog y Brifwyl. Ar ganiad y corn gwlad, pobl yn dal eu gwynt, llewygodd dau ar y stryd yn Aberllefenni... ond pan gododd y bardd, siomiant hen wyneb a gafwyd.

Ychydig ar ôl y digwyddiad hwn cyhoeddwyd – Gwasg y Brifysgol – dalfyriad o draethawd PhD y Dr Sue J. Nerys, 'Colineiddio ac Ôl-Golineiddio mewn Ffuglen Ffantasi ac Apocalyptaidd Cymraeg', dan y teitl *Dan Lygaid Colin*. Siomedig iawn oedd y gwerthiant, i feddwl.

Sancteiddrwydd

Weithiau byddai'r Fiwrocratiaeth yn chwarae castiau.

Pan welodd Colin yr enw cyntaf ar y rhestr y bore hwn yn y bỳs sdop daeth i'w 'feddwl' (gair hwylus, oherwydd anodd iawn yw penodi cysactrwydd ynglŷn â meddwl/meddyliau Colin) mai hen dric budr arall oedd hyn.

Dyma'r enw ddarllenodd: Y Dyn Sanctaidd (66).

Wedi pendroni dipyn penderfynodd Colin mai'r lle agosaf at Blaenau Seiont ar gyfer cymeriad o'r fath fyddai Abersoch. Fel y dywedwyd, anodd iawn yw dilyn trywydd 'meddwl' Colin, felly derbyniwch 'Y Dyn Sanctaidd', 'pendroni' a 'penderfynodd' ac 'Abersoch' fel cyfres o'r hyn a elwir yn *non sequitur*.

A dyma gyrraedd Abersoch ar ei sgwtyr. Wir ichi, ar ei sgwtyr; y mae Colin erbyn hyn yn dipyn o giamstar arno, yn enwedig ar y corneli!

Mae'n debyg ei fod o wedi disgwyl gweld ar ei union Y Dyn Sanctaidd (66). Roedd y (66) o gryn gaffaeliaid, oherwydd medrai ddiystyru y tyrrau iau gwrywaidd, a'r minteioedd hŷn. Ysywaeth, yr oedd niferoedd lawer hefyd o ddynion 66 yr olwg yno i'w ddrysu. Hynny mae'n debyg oedd cast Y Fiwrocratiaeth. Ond a oedden nhw'n sanctaidd? Sut mae pennu ar sancteiddrwydd? Rwbath i'w weld ydy o? I'w deimlo? A fyddai rhywun yn cario syrtifficet? Gwisgo bag ysgwydd? Crys-T? Ond fel sy'n digwydd bob tro daeth 'achubiaeth' (gair handi) i ran Colin.

Yn amlwg, yr oedd Colin bellach yn nhiriogaeth Y Dyn Sanctaidd (66). Roedd arwyddion. Wrth ei ymyl yr oedd nifer yn plygu a sythu ac ymestyn eu coesau a chodi eu breichiau yn yr hyn a glywodd Colin oedd 'Salutation to the Sun'. Eraill ar eu pedwar gan godi eu tinau yn uchel i'r aer, yn amlwg yn addoli Cerberus mewn gweithred a enwid 'Down Facing Dog'. Heb os, yr oedd Colin ar drothwy tiriogaeth Y Dyn Sanctaidd (66).

A gwelodd ei ddilynwragedd. Yn eu gwisgoedd glas tywyll a golau. Wrth ddynesu tuag atynt daeth y gair 'lleianod' i'w 'grebwyll' (gweler y sylwadau ar 'meddwl' uchod).

Fel petai'r lleianod hyn yn synhwyro ei bresenoldeb troesant i'w wynebu a gwelodd yntau ar flaen eu gwisgoedd gleision yr enw 'Dry Robe'. Dyna mae'n debyg oedd enw'r Urdd.

Clywodd Colin air arall, cyfriniol ei naws, 'Fêp'.

Yr oedd seremoni'n amlwg yn digwydd oherwydd o'u cegau un ac oll deuai arogldarth Fêp – enw ar Dduw? Enw cyffelyb i Ichor? Neu Manna?

Dynesodd Colin yn nes atynt. Gwahanodd deiliaid Urdd y Dry Robe fel petaent yn ddirgel ymwybodol ohono a chreu llwybr iddo gael mynedfa i'r Canol Llonydd – yr Omffalos.

Yno yr oedd Y Dyn Sanctaidd (66).

Bron yn noethlymun. Ar wahân i'r tryncs lleiaf a welwyd erioed. I wireddu'r ddihareb: Hynaf y dyn, lleiaf y tryncs. Ei noethni yn arwyddocáu ei dlodi. O'i gwmpas yn amlwg yr oedd cyfoeth di-ball. Fel'na mae hi efo pob Dyn Sanctaidd: mae angen cyfoeth di-ben-draw i'w cadw yn y tlodi y maen nhw yn ei arddel a'i goleddu.

Gorweddai ar gadeirlan aml-liwiog a adwaenid gan y Neoffaits fel Y Syn-lownjyr. A dwy leian – dwy o'i ddisgyblion blaenaf a mwyaf anrhydeddus, mae'n amlwg – yn gweini arno. Un y galwai'r Dyn Sanctaidd (66) hi yn Hyni-Bynsh a'r llall yr adwaenai ef fel Bêibs.

Diferai'r Dyn Sanctaidd (66) o olew sanctaidd o'r enw Nifia (Nirfana, dybed?) a chyrls gwyn blewiach ei frest yn slwj fel dail cabeij wedi eu gorferwi.

Soniai drosodd a throsodd wrth Hyni-Bynsh a Bêibs am Ddy Mid-Lwnds. Synhwyrodd Colin mai pregethu yr ydoedd am Y Bywyd yn Ddy Mid-Lwnds. Ac mai lle tebyg i Dír na nÓg, neu Annwfn, neu Hades, neu Falhala, neu Sheol oedd Ddy Mid-Lwnds. A bod Colin, wedi dyfod ar yr amser cyfaddas i'w anfon ef, Y Dyn Sanctaidd (66), yn ôl ei ddymuniad i Ddy Mid-Lwnds.

'Hei-Ho Ffarwél,' ebe Colin.

Pynsh an Jiwdi

Dysgodd Colin heddiw air newydd: *imprimatur*. Neu: imp-prim-a-twr, fel y ceisiodd ef ei ynganu iddo'i hun.

Mewn cynhadledd yr oedd yn y brifysgol yn chwilio am Mavis Piper (27), merch y siop tjips, oedd efo sawl job hyd y lle a heddiw yn gweini'r byrddau te a choffi a busgets yn y gynhadledd ar Cyfieithu/Translation.

Gan ei bod yn ddiwrnod braf yr oedd Colin wedi dwad o'r bỳs sdop ar ei sgwtyr. Cafodd hyder i fynd yn bell wedi iddo fentro i Abersoch y dydd o'r blaen, ac wedi'r cyfan, rhyw ddau dro o Flaenau Seiont yw Bangor ar hyd yr hen lein a heibio'r hen ffatri to *concertina* a adwaenid fel Ferodo a'r dyn ofnadwy 'na o'r 'Merica oedd bia hi'n diwedd.

Eisteddodd i wrando. A rhywun yn chwyrn iawn yn torri ar draws y darlithydd:

'Rhag cwilydd i'r awduron Cymraeg sy'n caniatáu cyfieithu eu gwaith i'r saesneg oherwydd eu bod nhw'n deisyfu *imprimatur* yr iaith fain. Ffurf gynnil ar barhad ein coloneiddio yw cyfieithu o'r fath. Oes rhywun wedi meddwl mai'r ffordd chwyldroadol yw dysgu Cymraeg?'

Hoffodd yn enfawr y gair Imp-prim-a-twr. Ac eisteddodd yn ei unfan gan obeithio ei glywed eto.

Canlyniad hynny oedd iddo golli Mavis Piper (27), oedd yn ôl y sôn wedi gadael a dal y bỳs i Landudno. I Marx, dybed?

Ar ei sgwtyr yr aeth fel Jehiw i'r dref Fictoraidd honno ymhle y mae y munud hwn ar y prom wedi ei lwyr gyfareddu gan y sioe Pynsh an Jiwdi.

Y mae Colin bron iawn yn deall pob gair a ddywed Pynsh an Jiwdi wrth iddynt waldio ei gilydd. Saesneg ydyw? Tebycach i falu geiriau rhwng y dannedd gyntaf, wedyn gwthio'r pytiau darniog, gwichlyd bron am allan. Rwbath fel clocwyrc yn rheoli'r tafodau.

Dyma iaith newydd i Colin: Pynshanjiwdieg.

Ar ei sgwtyr yn ôl i'r bỳs sdop – taith hamddenol iawn, yn enwedig wrth fynd heibio Traeth Lafan hwyrol – ceisiodd gofio ambell i ymadrodd o Bynshanjiwdieg. Beth ddywedodd y plisman? Beth ddywedodd y crocodeil? A'r gadwyn sosejys?

Cofiodd yn sydyn nad oedd wedi gweld Mavis Piper (27).

Hei lwc felly i Mavis Piper.

Efallai fod Pynshanjiwdieg allan o'i gyrraedd.

Wrth fynd heibio Ferodo ar ei sgwtyr ar ei ffordd yn ôl i'r bỳs sdop gwaeddodd, mewn gorfoledd, 'Imprimatur!'

Yr oedd wedi ei gael yn iawn.

'Ddats ddy wei tŵ dw ut,' meddai wrtho'i hun.

Yr Arwerthiant

Collodd Colin ei restr. Ar y bỳs? Ei gadael ar ôl yn y bỳs sdop? Roedd heddiw'n mynd i fod yn ddiwrnod prysur ac mae'n rhaid ei fod wedi ffwdanu'n gynharach a cholli'r bali peth. Ond dywedwyd wrtho unwaith mai angen Y Fiwrocratiaeth i greu rhestrau oedd y tu ôl i'r rhestr ddyddiol a gawsai, ac y byddai ef yn 'gwybod' drwy reddf at bwy i fynd beth bynnag, rhestr neu beidio.

Felly yma mae yn ddi-restr mewn arwerthiant.

Yn wir, yr oedd Colin yn mwynhau ei hun. Eisteddodd i lawr ar y gadair wag yn y rhes gefn. Dechreuodd Colin ddalld y dalldings. Yr hyn oedd angen ei wneud oedd gadael i'r dyn tu ôl i'r ddesg ar y llwyfan ddweud rwbath am y gwahanol betha yr oedd dau ddyn arall wedi eu cario o'r cefn i'w harddangos, ac wedyn siarad ar garlam annealladwy gan bwyntio bob yn hyn a hyn efo'r morthwyl pren yn ei law at ambell un o'i flaen oedd wedi codi eu dwylo.

Bocs pren cymen yn llawn o gerfluniau bychain o Siapan oedd un peth. Un o'r dynion yn dal y bocs agored a'r llall â'i ddwylo menyg gwynion yn codi'r darnau ifori fesul un i'w dangos. O geg yr arwerthwr deuai rhyw lifeiriant geiriol annealladwy, ei forthwyl yn ei law. Ymatebai gwraig o flaen Colin i faldordd cyflym y dyn drwy godi ei llaw fyth a beunydd, hyd nes iddi yn y diwedd ysgwyd ei phen mewn digalondid, ac i'r dyn daro ei forthwyl unwaith, dwywaith, deirgwaith gan bwyntio at wraig arall yn y rhes flaen nad oedd Colin wedi sylwi arni ynghynt. 'Sold!' meddai yn awdurdodol. Y brynwraig ar ei thraed yn gweiddi mewn gorfoledd, a gan gydio rownd gwddw dyn wrth ei hochr. Ei gŵr debyg.

Yn araf siffrwd ar flaenau eu traed ar hyd y llwyfan, yn cario llun anferth yn ofalus rhyngddynt, daeth y ddau ddyn. Ysgol

Vermeer: Y Wneuthurwraig Caws. Dynes yn ei barclod a'i chap les, yn gwasgu rhwng ei dwy law y dŵr o swigen fwslin i bowlen glai, hufenog ei lliw. Hogyn bach tu ôl iddi yn sbecian o'r stryd olau drwy ddrws agored i'r gegin led-dywyll, y wên ar ei hwyneb fel petai'n dweud: 'Wn i dy fod ti yna, Geert.' Ymyl padell gopr ar hoelen ar y wal yn gloywi o'r goleuni a ddeuai drwy ffenasd nad oedd modd ei gweld ond drwy'r dychymyg. Daeth bonllefau o orfoledd pan drawodd Mr Morthwyl ei ddesg yn derfynol. A dyn o'r gynulleidfa yn dal ffôn i fyny'n uchel a throi rownd a rownd yn ei unfan fel top.

Ond digwyddodd rwbath i Colin pan gerddodd un o'r dynion i gyfeiriad desg yr arwerthwr, yn dal rhwng ei ddwylo gwynion Fflam o Wydr. Fel y symudai fflachiodd holl liwiau'r enfys o'r gwydr. O'i ddal yn llonydd fe'i hydreiddiwyd gan wyrdd a phorffor egwan. Byddai'r geiriau 'blys' ac 'angen' ac 'awch' petaent yn ei feddiant wedi dod yn agos at ddisgrifio'r hyn a oedd fel pigau mân hyd Colin. Yn araf cododd ei law yn ystod y rhysedd geiriau o enau cyflym yr arwerthwr. Gwelodd yr arwerthwr yntau ef ac yn araf cododd ei forthwyl i gyfeiriad Colin gan fferru'r ystum hyd braich yna. Edrychodd pawb ar yr arwerthwr mud. Troesant am yn ôl i edrych. Cadair wag oedd yno. Gwelwyd Colin hefyd gan y dyn yr oedd ei wraig gynnau wedi prynu'r *netsuke*.

Yn embaras i gyd aeth Colin allan. Pan aeth drwy'r drws clywodd sŵn tebyg i ddau ddyn yn disgyn. Wedyn sgrechiadau.

Nid oedd angen Hei-Ho Ffarwél felly. Slogan yn unig oedd hynny. A phwy sy'n byw ar sloganau ond Y Fiwrocratiaeth.

Yn y bỳs sdop y noson honno, a'r düwch yn creu cefnlen i'r gwydr i efelychu drych, edrychodd Colin arno ei hun. Ond nid oedd dim yna. A'i rhith oedd ef hefyd?

tu mewn i'r teledu yn gwneud siâp ceg wrth brynu antîcs. Rhywun hŷn yn taflu pêl at un o'r ieuenctid gan annog yr un ieuanc i'w thaflu 'nôl. Neu o leiaf ei chicio. Cym on wan, Gladys. Dau o'r ieuenctid wrth fwrdd yn peintio cerrig.

Mae gan Colin ddau enw ar ei restr.

Mae ei 'edrychiad' fel petai'n holi pam nad yw enw pawb ar ei restr?

Talu am barcio

Hogan benfelen yw Llinos Llio.

'Pam fod gynna i ddau enw mor neis, Mam?'

'Am na fedrai dy dad a fi benderfynu 'ta Llinos oeddat ti, 'ta Llio. Felly mi wyt ti'r ddwy, yli.'

Unig ferch y Parchedig a Mrs Idwal Williams. ('Pam fod 'ch enw chi'n mynd ar goll yn enw Dad, Mam?')

Del heb fod yn dlws.

Licio'r ysgol ond heb serennu. Da mewn pêl-rwyd. Gweddol mewn hoci. ('Dim digon o gyth ynddi' – yr athrawes ymarfer corff ar y pryd.)

Mewn arholiadau wastad tua'r canol. Mewn dosbarth o ddeg ar hugain, rywle tua'r degfed drwy'r adeg. Unwaith, pedwerydd.

Byth yn ôl y sôn yn grwgnach am fawr o ddim.

Yr unig ferch ieuanc erbyn hyn sy'n dal i fynychu'r capel. (Gwenu ddaru hi pan ofynnwyd iddi sbel yn ôl os oedd hi'n credu.)

Ni fu sôn erioed am gariad.

Er fod Eurig a hi i'w gweld yn cadw cwmpeini i'w gilydd. Ond efallai mai'r ffaith eu bod nhw'n byw ar yr un stryd oedd yn bennaf gyfrifol am hynny. (Yn naturiol ddigon, felly, cydgerddent ambell waith wrth ddŵad yn ôl o'r ysgol. Byddai ei thad yn ei danfon yn y car i'r ysgol bob bore gan basio Eurig ar y lôn.)

Deintydd yw Eurig erbyn hyn yn ochra Wrecsam.

A hithau'n nyrsio ar ward y newydd-anedig.

A dyma hi, Llinos Llio, yn y bỳs sdop yn aros am y bỳs i fynd i'w gwaith yn yr ysbyty. (Mae hi'n gyrru car. Ond oherwydd polisi cwbl afresymol y bwrdd icchyd yn disgwyl i'r staff dalu am barcio mae hi'n dewis mynd ar y bỳs. Sy'n lot rhatach. Ond y mae Llinos Llio yn gynddeiriog am hynny.)

Y Castell

Weithiau mae'r Fiwrocratiaeth yn licio rhoi'r argraff ei bod hi o'n plaid ni. Gwneud rwbath sy'n teimlo ein bod ni wedi cael ein deall o'r diwedd.

Rwbath fel yna ddigwyddodd heddiw pan anfonwyd Colin o'r bỳs sdop efo'i restr a dim ond dau enw arni.

Y sgwtyr amdani felly. Roedd ganddo drwy'r dydd, y diwrnod hafaidd hwn o Orffennaf.

Parciodd ei sgwtyr wrth wal y Brutish Lijyn o dan y gofeb newydd i Toni Roial Welch. Yr iwniyn jac uwchben.

Am unwaith 'teimlodd', yn ffordd Colin, 'garedigrwydd' at y tyrfaoedd oedd hyd y lle. Roedd hi'n fwrw Sul gŵyl, mae'n amlwg. Clywodd 'Yma o Hyd'. Roedd Llyfr y Flwyddyn yn Galeri, er nad oedd Colin, petai ganddo'r diddordeb, fawr callach beth oedd hynny. Roedd dyn efo mintai o bobl o'i gwmpas yn dangos twll wrth ymyl y Midland Banc fel roedd, gan esbonio mai fan hyn oedd safle allor i Mithras. Yr oedd y Maes yn ferw o stondinau. Gŵyl Fwyd oedd hon? Rhoddai Colin unrhyw beth am gael, un waith, fyrgyr. A dyna un o ystyron anfarwoldeb: dim byrgyr. Byth.

'Dyheai' – gair handi, wrth gwrs, i ddisgrifio'r 'ysfa' – gair hwylus – a hydreiddiai drwyddo oherwydd iddo dreulio gymaint o 'amser' ymhlith pobl ddynol: yr oedd wedi ei 'lygru' ganddynt – 'dyheai' i gyrraedd ei hoff stryd: Palas Strît.

Deuai ati bob tro o gyfeiriad y Blac. Ei chyrraedd yn ei lliwiau, y siopau oedd wedi ymdrechu a llwyddo i fod yn wahanol, oedd wedi goddiweddyd rhyw ddirywiad y gall Cymry ildio iddo'n hawdd a rhoi fyny. Mae ambell stryd yn eich gwnaud chi'n well dim ond i chi ei cherdded. Beth yw ystyr Bywyd? Palas Strît.

Ond y Castell oedd cyrchfan Colin heddiw.

Penderfynodd, er nad oedd raid iddo, ymuno â'r ciw oedd yn disgwyl cael mynediad i mewn.

'You can 'ave a sword when we're in the castle, Ogilvy,' meddai mam wrth ei hogyn bach, Ogilvy, oedd ddim i'w weld yn awyddus iawn i fynd i mewn i'r horwth cerrig o'i flaen.

'Will it be a real one, Mummsie, so that I can kill people? I wanna kill people. Like you wanna Dad to drop dead. And an ice cream.'

Tra oedd pobl yn talu aeth Colin ar ei union i'r Castell.

Yno roedd y brenin Edward y Cyntaf (roeddan nhw'n iawn am ei gluniau hirion) yn trafod newidiadau i'r twr uchel efo'i bensaer. Siams San Sior yn arwain â'i fys olygon Edward o'r memrwn o'i flaen i binacl bron yn orffenedig. Cerflun o eryr wrth eu traed a llaw Edward ar ei ben.

Aeth Colin drwy ferw seiri meini a seiri coed, gofaint, cigyddion, milwyr yn ymarfer, drwy waed a llaid a mwd, heibio cŵn yn glafoeri'n felyn, heibio stablau a'u harogl anhyfryd, drwy geginau a'u haroglau amheuthun hyd nes y cyrhaeddodd yr ystafell lle gwyddai yr oedd y frenhines Elinor a'i baban newydd-anedig, di-iaith, cysglyd.

Hei-hoiodd Ffarwél y ddau.

Wedi dod allan o'r Castell gwelodd hogyn bach efo cleddyf pren yn trywanu a thrywanu ei fam a'i glywed yn dweud:

'Dach chi i fod 'di marw, Mam.'

Aeth yn ei ôl ar hyd stryd fer dlodaidd yr olwg a'i siopau gweigion.

Gallai daeru fod cofeb ynghynt ar wal yr adeilad dibwrpas lle gadawodd ei sgwtyr.

Meinciau

Liws
– swil
  1964–1996

Y Dyn Moto-beic
Daw yn ôl efo'r wawr.

Tipsi Morgan
Honalulu
Aeth oddi yma i fyw
ond ni adawodd erioed.

Meic Parry
'Dos i nôl dy bêl'
Dy golli di,
Pero

Nain Ganllwyd a Taid Aber
Byth ar wahân eto

Percy Ifans
Cwsg, Mêt
– Benji

Tegan Elen
Am byth yn bumlwydd oed
– Mam a Brei

Anhysbys
Hedd Perffaith Hedd

Lasarus Rhys
1902–2000

Bob 'Sgriws' Everett
1989–2004

Peredur Mooney
'Wela i chdi'

Tanya a Muriel
– O'r diwedd

Tony Paddington
'King of Siam'

Dienw
– ei Duw a ŵyr

Jac 'Busgets' a Mari
'Pidiwch â bod yn ddiarth'
– Glad a 'Dentures'
Mai 30, 2016

Selwyn 'Sandals' Evans
'Congrats!'

'Wrth eistedd yma cofiwch Jên'

Eisteddai pob un ohonynt ar y meinciau yn edrych, yn llonydd-glên, pob hindda, pob hinddrwg.

Gwyliau

Yr oedd rwbath hael weithiau am Y Fiwrocratiaeth.

Yn ddirybudd deuai rhywun at Colin – hogyn bach ar gefn beic gan amlaf; weithiau gwraig ddall a'i chi tywys – gan ddweud, 'Holides. Munud 'ma. Car yn disgwyl.'

O'i flaen y munud hwnnw yr oedd Clayton Mott (58). Rhyw dwmpath o ddyn oedd o, rwbath mawr mewn bresys streipiog, a rhywsut gwyddech hebddynt nid ei drowsus fyddai'n disgyn i'r llawr ond fo ei hun.

Felly pan ddaeth yr hogyn bach ar ei feic efo'i neges, down tŵls oedd hi i Colin. A hei lwc, Clayton Mott.

Yr un lle oedd y gwyliau o hyd: yr Arctig.

Yno yr oedd gan Colin ei iglw ei hun. Yr oedd tref fechan o iglws unffurf. Ni châi neb bersonoli iglw. Er nad oedd Colin wedi gweld neb arall yn y dref erioed. Am a wyddai ef oedd yr unig un yno. Ond yr oedd cerdyn wastad ar y cwpwrdd erchwyn gwely – cwpwrdd oedd yn agor wedi ei saernïo o dalp o iâ efo dronsys – 'CROESO' ar y cerdyn a dim arall. Mae'n debyg mai'r un un cerdyn oedd yna dragwyddol, ac nad oedd ar gyfer neb yn neilltuol mwy na'r gair CROESO ei hun.

Iâ wedi ei drin a'i siapio yw bob dim tu mewn i'r iglw.

Un tro pan oedd yma daeth arth wen a chyflwyno ei hun fel Dei Môn. Neu o leiaf dyna a feddyliodd Colin iddo glywed. Ond nid oedd ganddo ddiddordeb mewn petha fel'na. Diflannodd yr arth wen yn ôl i wynder y papur.

Yr oedd Colin yn hoff iawn o'r Arctig. Yn enwedig pan oedd hi'n hirddydd haf. 'Run nos.

Y mae Colin yn hoff o daflu peli eira.

Tro 'ma, y ddynes ddall a'i chi tywys a ddaeth efo'r neges: 'Holides ar ben. Car yn aros.'

Stopia!

Yr oedd Colin wedi penderfynu dysgu 'Local Interest'.

Rhywsut neu'i gilydd daeth i'r casgliad ei fod yn dlotach am na feddai iaith. Nad oedd yn rhugl. A'r ychydig eiriau oedd ganddo fe'u cafodd drwy wrando a cheisio cysoni y gair a glywodd efo'r weithred benodol a oedd yn digwydd ar y pryd o flaen ei 'lygaid'. (Nid bob amser yn gywir. Nid 'Stopia!' yw'r gair iawn am ddau'n caru. Mwy na 'peltan' sy'n cyfleu i'r dim gariad mam amser swper at ei phlentyn.)

Un tro a fynta rhwng dau Hei-Ho Ffarwél ymhell o'r bỳs sdop a phellach na thaith sgwtyr mewn tref lan môr, piciodd i mewn i siop lyfrau er mwyn dysgu mwy o Gymraeg. 'Teimlodd' rhyw agosatrwydd rhyngddo ef a'r Gymraeg er na wyddai pam. Ond yn y siop lyfrau hon, wedi chwilio a chwilio am y Gymraeg, heibio petha fel Fiction, Children's and Young Adults, Health and Wellbeing, Biography, Travel, llyfr o'r enw *Three for Two* gan rywun o'r enw Staff Picks, daeth yn y diwedd at Local Interest a 'deallodd' mai dyma'r enw cywir am y Gymraeg.

Yn od iawn ni chlywodd fawr neb yn siarad Local Interest. Yr oedd un dyn wrth ymyl y silff a dynnodd allan rhwng *Tramways of Corwen* a *Welsh Cuisine* lyfr o'r enw *Raffl a Storïau Eraill*. 'Selwyn 'Sandals' Evans,' meddai'r dyn yn uchel. Chwerthin. A rhoi'r llyfr yn ôl, tro 'ma rhwng *Witches and Werewolfs of Wales* a *Famous Welsh Murderers*. Yr oedd gan Colin ryw frith gof o ryw Selwyn 'Sandals' Evans. Mae'n debyg iddo ei Hei-Hoio.

'Teimlodd' ynddo'i hun ryw 'heneiddio'. A 'chofiodd' rwbath o ganrifoedd yn ôl.

Yno yr aeth. I un o'r adeiladau hynny lle'r oedd pobl yn crio. Un hen iawn y tro hwn.

Uwchben y drws, yno roedd hi. Cofiodd Colin hi ar ei

newydd wedd. Rhedodd ei fysedd ar hyd y garreg ac i mewn i'r rhigolau a'r pantiau. Petai wedi medru darllen, hyn fyddai:

ANATEMORI FILI LOVERNII

Glas

Yr oedd gwaharddiad arno. Yn wir, gwaharddwyd ef rhag mynychu arddangosfeydd, ffwl sdop. (Rhoddwyd caniatâd iddo fynd i babell Celf a Chrefft yr Eisteddfod un tro i gyrchu Bendigeidfran 'Hari' Smith (54), a hynny oherwydd fod Bendi G. – fel y'i gelwid yn y cylchoedd celf – yn barhaol drwy'r wythnos yn y babell ddydd a nos ar ympryd yn 'Ogof Arthur' – ogof a oedd wedi ei chynllunio mewn cydweithrediad â phlant bach yr ysgol fach leol a'i chreu allan o hen lyfrau coginio oedd wedi eu casglu o siopau elusen ledled y cylch. (Meddyliodd sawl un mai Ottolenghi oedd enw'r ogof gan mai hwnnw oedd yr enw a welwyd amlaf hyd-ddi.)

Ond yr oedd Colin yn un o'i gyfnodau diffeio'r Fiwrocratiaeth. Yn od iawn, yn yr Eisteddfod Genedlaethol y digwyddodd un o'r cyfnodau hyn ddiwethaf a Colin yn ymuno â chôr pensiynwyr a dyfod yn ail, a'u canmol gan y beirniad am ganu 'Arglwydd, Gad im Dawel Orffwys' – ac felly, y pnawn hwn, i'r cythraul â nhw. A dyma fo ymhlith degau o bobl a phlant sy'n taflu y lliw glas – efo brwsh, pibell-chwyth, blaen bysedd, llaw gyfan – ar y cynfasau hirsgwar sy'n amgylchynu'r galeri gan greu patrymau rhyfeddol ac annisgwyl – nid Jackson Pollockaidd fel y cyfryw, ond debycach i Monet a'i *Nymphéas* a osodwyd yn yr Orangerie ym Mharis er cof am feirwon y Rhyfel Mawr. 'Teimlodd' Colin 'wirioni' ynddo – er nad oedd y gair ganddo. 'Deallodd' pam nad oedd Y Fiwrocratiaeth am iddo ymweld ag arddangosfeydd.

Gosododd ei hun yn erbyn un o'r cynfasau. Yr oedd yn cael ei beintio.

Yr oedd yn glasu.

'Deallodd' rwbath.

Ymarfer

Roedd y tonnau'n dawel; yn feddal fwyn fel acen merched Llŷn.

Cerddodd Colin ar hyd y traeth lle'r oedd y torfeydd yn torheulo fel petai fan hyn yn rhyw lun ar Torremolinos.

Roedd o'n ymarfer ymadrodd newydd, un anfynych yr oedd o wedi ei glywed yn rhywle – siop bwtjar? Pwll nofio? Y lle gwinadd? – ac wedi ei hoffi. Cymaint felly nes rhoi heibio ei restr am y dydd. Gan wynebu ffrom Y Fiwrocratiaeth.

'Sori, fedra i'm siarad Susnag.' Dyna'r ymadrodd.

Baglodd ar draws fwced a rhaw.

'Sori, fedra i'm siarad Susnag.'

Aeth ei 'freichiau' yn sownd mewn net dennis.

'Sori, fedra i'm siarad Susnag.'

Chwalodd gastell.

'Sori, fedra i'm siarad Susnag.'

Parodd i botel o broseco dri chwarter llawn syrthio ar ei hochr.

'Sori, fedra i'm siarad Susnag.'

Rhoddodd ei 'droed' ar dwmpath o dywod er mai bol blewog ydoedd.

'Sori, fedra i'm siarad Susnag.'

Yn rhy hegar rhoddodd ei 'droed arall' ar rybyr ring chwadan nes ei byrstio.

'Sori, fedra i'm siarad Susnag.'

A byrstio crocodeil gwyrdd.

'Sori, fedra i'm siarad Susnag.'

Aeth y cornet hufen iâ i drwyn y dyn pan aeth Colin yn batj iddo a'i droi'n Binocio.

'Sori, fedra i'm siarad Susnag.'

Ac yntau'n cerdded ar y môr trawodd jet-sgi nes oedd y boi a'i 'weiyrles' yn dŵr.

'Sori, fedra i'm siarad Susnag.'

chdi mewn siwt cwningan', a ''Ma chdi twenti cwid' – oherwydd os oedd y mamau i gyd mewn te parti roedd yna un dadi ar ei ben ei hun bach fyddai'n falch iawn, iawn o weld Aneirin – a hynny am dipyn bach mwy na twenti cwid.

Ond gan fod Y Fiwrocratiaeth yn brysur yn coluro wyneb tlodi a dyrchafu'r proffidiol ni chroniclwyd amryfusedd Colin. Ac felly roedd pawb yn 'gwningod hapus' y diwrnod hwnnw.

Ar wahân, efallai, i Jamie 'Esquire'. Ond pwy a ŵyr y ffasiwn betha?

Joli Rojyr

Ac yntau efo'i restr yn ei law – Palmer Bedo (73); Tina 'Angel' Darwin (29); Gayford Troy (60) yn sêt gefn llawr uchaf y dybl decyr – gwelodd Colin drwy'r ffenasd ryfeddod newydd yn y cae swings.

Yno roedd llong. Llong hwyliau bren, hwyliau go iawn, mae'n amlwg, oherwydd yr oeddynt yn bochio am allan – tonnau wedi eu peintio oddi tani, gynnau mawr yn tanio o'r *gunwales* (wedi eu peintio eto?) a mwg yn baent llonydd ar hyd ei hochrau – a hyd-ddi yn ei dringo, i fyny ac i lawr y mastiau, yr oedd plant y wlad.

Ond yr hyn a dynnodd sylw Colin yn fwy na dim oedd y fflag ar ben yr hwylbren hwyaf. Y benglog a'r ddau asgwrn wedi eu croesi o dan y benglog – yn wyn ar gefndir du. Gwyddai rhywsut yn ei 'fêr' mai hon oedd ei fflag ef. Er ei fod yn was i'r Fiwrocratiaeth, a bod Y Fiwrocratiaeth yn chwifio fflag pa wlad bynnag a fyddai'n ei siwtio ar y pryd – yr oedd hyd yn oed ar brydiau yn chwifio'r Ddraig Goch, a baner Glyndŵr a Jac yr Undeb weithiau ar yr un un polyn, ni waeth pa fflag gyn belled â bod buddiannau'r Fiwrocratiaeth yn cael eu gwarchod – gwyddai hefyd nad oedd yn gyfan gwbl o dan ei bawd. A hwyrach mai ryw ernes o hynny oedd ei wefr yn gweld y cwch a'i luman, ac mai dyna pam yr aeth oddi ar y bỳs yn y bỳs sdop nesaf a cherdded am yn ôl, iddo yntau hefyd gael chwarae.

Ceisiodd roi ei ben yn y twll – y twll lle dylai wyneb fod – y dyn efo parot ar ei ysgwydd. Dyn o'r enw Capten Morgan.

Aeth ar fwrdd y llong.

Oedd rhai o'r plant yn ei weld? Oherwydd yr oeddynt yn gweiddi i'w gyfeiriad: 'Ai-ai, Capten!'

Cerddodd ar ôl y plant ar hyd y planc a neidio i'r môr-gwair.

Gwelodd yntau yn y cistiau agored y trysorau o aur, perlau,

diamwntiau, onycs a meini gwerthfawr eraill, arian, cawgiau, cwpanau, mwclis.

Ond yr hyn â'i denai oedd clec y fflag yn yr awel.

Llithrodd i fyny'r hwylbren fel y medrai ei chyffwrdd. Clywodd blentyn yn gweiddi o'r gwaelodion: 'Sbïwch ar y Joli Rojyr, ma 'na riwin yn gafal yni hi.'

'Nag oes ddim,' meddai'r gweddill.

A phan ddaeth Colin i lawr yn ei ôl i'r dec, yno'n aros amdano yr oedd y plentyn a'i gwelodd.

'Dach chi'n beiret go iawn yndach?' gofynnodd y plentyn iddo.

Eis Crîm

Yr oedd hi'n dal i wisgo Laura Ashley.

Ar y pnawn braf hwn o haf, yn sefyll wrth ymyl fan hufen iâ Cornet Joyce ar y cei yn disgwyl i rywun brynu eis crîm iddi. Gan hynny, bob tro y deuai rhywun at y fan dywedai Mitchel Troy (dyna ei henw) wrthynt: 'Eis crîm da'n fama. Dach chi'n lwcus. Feri lyci.'

Neu pan ddeuai rhai oddi wrth y fan efo'i heis crîms, meddai: 'Eis crîm gwerth chweil. Swn i wrth 'y modd. Feri lyci.'

Nes collai Cornet Joyce ei limpin yn y diwedd a gweiddi i'w chyfeiriad – pan nad oedd neb o gwmpas oherwydd nid oedd hi eisiau ypsetio'r cwsmeriaid, 'nenwedig y Saeson a hithau wedi magu ar eu cyfer yr hyn a elwir yn twang: 'Cer o' ma'r gnawas fîn. Ma gin ti ddigon o fodd i brynu'r fan a'i chynnwys, a finna yn y fargan. Mi gest ti bob dim ar ôl Argoed Pari. Ffor syrfusus rendyrd, meddan nhw. Heb sôn am be' gest ti ar ôl dy dad a dy fam. Y ddau mwya crintachlyd hyd lle 'ma rioed. Yr hen Hywel Troy a'i fusnas dannadd gosod. A dy fam annaturiol ddanheddog. A be' adawodd Robin Hwd i ti, y mochyn budur iddo fo? A mi ofalast sychu tin Tjeina O'Rooke yn llythrennol a ffigurol am flynyddoedd fel na fedra hi ddim ond gadael bob dim i ti, er fod pobl yn deud dy fod ti mewn cohŵts efo Deryn Twrna. A mi gest ffortiwn ar ôl Samuel Samuel *Samuel's* gymaint felly nes bod rhaid tynnu 'i wraig o o gartra nyrsio Gerry Antics a'i rhoi hi'n wyrcws y Cyngor Sir. A mi 'dawodd Gary Grant 'i siop sgidia i ti, a Seidbord Jackson i siop ddodran, a Dici-Bo MacNeill i Jentylman's Owtffutyrs. A dyma chdi'n fan hyn yn rhy fîn i brynu eis crîm. Yn actio begera.'

Erbyn i Cornet Joyce orffen deud hyn i gyd, adrodd ei phedigri, chwedl hi i Mitchel Troy, yr oedd ciw anferthol wedi ffurfio ar gyfer prynu yr hufen iâ. Adferodd Cornet Joyce y twang: 'I'm deeply sorry for any inconvenience caused,' ebe hi.

Yn eu plith yr oedd Colin.

Nid am fod ynddo'r awydd na'r gallu i brynu hufen iâ. Ond oherwydd iddo 'deimlo' eto ynddo'i hun yn 'wag'.

Hwyrach mai dyna oedd Colin yn y 'diwedd': gwiail o lythrennau a 'dim' yn y 'perfedd'; mor wag â lluniau Edward Hopper, petai wedi eu gweld erioed.

Ond 'gwag' o beth?

Rwbath am giw o bobl ar ddiwrnod poeth yn dyheu am eis crîm, dynes yn tantro dynes arall, rhywun yn dweud: 'O! Mi gafodd honna wat ffor rŵan. Rasbri rupl. A nainti nain. Twb 'ta cornet, 'mach i?' Chwa annisgwyl o awel o'r Fenai yn codi a gostwng y canopi uwchben ffenasd oer bleserus y fan hufen iâ. Chwerthin. Yr awyr las. Waliau'r cei. Hen gastell. Hen hanes. Heddiw.

Petha fel'na.

Hefyd gan yr awdur

Galwch heibio i wefan
Gwasg Carreg Gwalch
i weld ein casgliad o lyfrau amrywiol

carreg-gwalch.cymru